Max est casse-cou

*Merci à Renaud de Saint Mars
pour sa collaboration*

Collection dirigée par Dominique de Saint Mars

Imprimé en CEE
ISBN : 2-88445-467-5

Ainsi va la vie

Max est casse-cou

Dominique de Saint Mars

Serge Bloch

CALLIGRAM
CHRISTIAN GALLIMARD

Hiiii... Hiiiiiiii... Hiiiiiiiiiii !!!
Mon Dieu !

Max !

Mais vous êtes fous... j'aurais très bien pu vous écraser !
Mais c'est à cause de Jérôme... il ne sait pas patiner !
Tu parles ! C'est toi qui veux tout le temps faire des trucs dangereux !

En tout cas, Max,
je confisque tes patins.
La route, c'est fait pour
les voitures !
Allez, donne !
Mais qu'est-ce que
je vais faire ?
Je vais m'embêter !

Ah non, je ne voulais pas qu'il reparte !
Yaou ! on va au square retrouver les autres !

Et moi ! Vous avez vu ?

Et maintenant, les mains croisées... sur un pied !

AAAAAH!!!

Oh, là, là, Max,
tu es trop casse-cou !
Tu as dû te faire
un de ces mals !
OUUUH !
Je saigne, j'ai mal !
Au secours !
Pour se faire admirer,
il est capable de
n'importe quoi !
Ouuuh... mon genou,
mon nez... !
Qui a un mouchoir ?

Ton tee-shirt est tout déchiré.
Maman va être furieuse.
Oh... j'ai un peu mal !
Bien quand même,
mon numéro ?
Oui, mais quel
massacre, ton nez,
ton genou,
ton tee-shirt...
et ton vélo !

Attends ! Max, c'est quand même le seul qui ose faire ça... !

Sacrée chute ! Tu as été imprudent, il faut savoir calculer ses risques !
Mais je n'allais pas très vite... Je mettais les pieds sur la selle...

Mais tu pourrais faire quelque chose de moins dangereux... ?
Ça ne serait pas amusant ! Je veux montrer aux autres que je suis gonflé !
Tu sais, imprudent ne veut pas forcément dire courageux... !

Et tu crois que tes amis ne t'aimeraient pas, autrement... ?
Je ne sais pas, je suis le plus petit... et pas le meilleur en classe, faut bien que...

Mon petit nounours... Tout le monde t'adore, tu sais, surtout nous, et comme tu es !
Mmmmmh... là, je suis bien ! C'est pas dangereux mais c'est bon quand même !

Tu sais, Max, on est fiers de toi quand tu te débrouilles... pas quand tu prends des risques idiots !
Merci, p'pa !

Hééé..., Jérôôôôme !

Ça y est ? Tout est impec ?
Papa a réparé mon vélo et il a vérifié les freins.

On va faire un tour ?
Non, j'ai promis de rester tranquille...
D'accord. On va jouer dans ma chambre ?

T'as jamais essayé de grimper dans ta chambre par la gouttière ?
Non, mais ne fais pas ça, c'est beaucoup trop dangereux... !

Mais non... c'est fastoche !

MAAAX !
Aïe !
KAÏ KAÏ

Mais qu'est-ce qui est arrivé... ?
C'est le chat ! Euh... qui courait après le chien...
Euh... enfin... le contraire !

Oui... et c'est ça... et le chien est monté à la gouttière !
Assez de salades ! Je vous in-ter-dis de monter à la gouttière... surtout toi, Max, avec tous tes pansements !

L'histoire du chat et du chien,
quand même, t'es gonflé !

Bon, mon vélo marche mal, mes patins sont confisqués...
Qu'est-ce qu'on peut faire ?

Oh, j'ai une idée. Va chercher ton skate !
Mais... tu as le tien !

Avec ça, dans la descente du cimetière, pas de problème... !
Mais c'est vachement en pente... ! Et si tes parents le savent ?

Mais qu'est-ce que vous faites ?
Je vais battre mon record de vitesse sur roulettes !
Avec tous tes pansements ! Quel trompe-la-mort !

Max, tu es fou, c'est bien trop dangereux !
Mais non ! Je l'ai déjà fait de la moitié, c'était nul !
Mais s'il y a une voiture... ! Moi, je vais en bas pour surveiller.
Des voitures, il n'y en a jamais... Et on ne fait rien quand on a peur de tout !
Essaie au moins de freiner... !

ATT...

ATTENTION !

MAAX !
MAX !
SBLOÏNG !

OH, LÀ, LÀ !
Je saigne !
J'ai mal... je vais
mourir !

Ça va ?... Tu peux marcher ?
Ça va, Max ?

Maman, Max a eu un petit problème !
Maman, j'ai... j'ai mal... je saigne !
MAAX ! Qu'est-ce qui t'est encore arrivé ?

En tout cas, tu ne sortiras plus jamais sans ton casque !
Promis, maman, tu as raison !

CHEZ LE MÉDECIN...
Vous allez me faire une piqûre ?
Oui, et aussi recoudre la plaie que tu t'es faite à la tête !

Pour le moment, passons aux choses sérieuses : compresses, fil, ciseaux !

AÏE ! OUILLE !
NOOON !
Allez, tenez-le.
Ça va piquer.

Qu'est-ce que t'as eu, toi ?
Je me suis ébouillantée
avec une casserole.
À cause du manche qui
dépassait.
Ça fait mal
aussi, les
brûlures.

Je suis guéri, je n'ai rien senti du tout... et j'ai trois points de soudure !
De SUTURE ! Tu as eu de la chance mais pense à protéger ton corps, tu n'en as pas de rechange !
Oui, tu aurais pu te faire beaucoup plus mal et risquer la vie de quelqu'un.
Alors plus de planche à roulettes, plus de vélo, plus de patins !
Plus rien, quoi !

Et c'est comment, les points de... machin ?
Les points de suture !

Elle m'a fait une petite anesthésie et puis elle a recousu la peau avec un fil spécial et une aiguille comme ça...

Ah, mes chéris, j'aime bien vous voir un peu calmes, à la maison. C'est rassurant !
T'inquiète pas, je contrôle la situation !

Bon, si j'allais chercher l'avion que mon parrain vient de m'offrir ?
Oh, oui, génial !

Si je remonte plus
l'élastique de l'hélice,
il va aller encore
plus haut !

TCHOC

Oh non, Max, c'est malin !
T'as qu'à aller le chercher,
maintenant !
Pas de problèmes !
Grimper aux
arbres, c'est ma
spécialité !
Hum !
Une de tes
nombreuses
spécialités !

C'est encore plus haut !
Tu n'as pas le vertige ?
Moi !
Le vertige,
tu parles !

Il est quand même
très haut, l'avion !
Max y est
presque !

Ah, ça y est, je le vois !
Oh, là, là, ce que vous êtes petits, vus d'ici !
Fais attention, Max !

Mais qu'est-ce que j'ai ?
Je ne me sens pas bien...
je ne suis jamais monté si haut !
Cochonnerie d'avion !

Hé, Max, ça va ?
Euh, pas très bien,
je n'en peux plus !
Redescends,
alors !

Mais je ne peux... euh...
je peux pas... je crois que
j'ai un peu le vertige !
Ça va mal... Il faut que
j'aille chercher papa !

Il ne peut plus ni monter,
ni descendre. Qu'est-ce qu'on
va faire ?
Monsieur casse-cou
a le vertige. Tiens bon,
Max, j'arrive !

VITE... PA... PAPA...

Vite, je me sens mal !
J'avais oublié que c'était si dur de monter aux arbres !
Accroche-toi, mon Max, j'arrive !

Ça y est, il arrive près de lui, il va le rejoindre.
Bravo, papa, tu y es presque !

C'est vrai qu'on est assez haut... bouh... Allez, Paul, encore un petit effort.

Papa !

Oh, papa, je n'ai jamais été si content de te voir arriver !
Même si je suis très en colère ?
Même !

On est tout près de l'avion. Ça y est, on peut le pousser avec cette branche !

Super ! Mais maintenant,
il faut redescendre !
Et j'ai un peu le vertige,
moi aussi ! Allez, courage !
on y va tout doucement,
on reste ensemble, Max,
et on s'aide !

Tu sais, papa, c'est génial de faire un truc
difficile avec toi, mais fais attention...
ça glisse !
Moi aussi, j'aime ça...
surtout si on arrive
à redescendre !

Ouf, tout va bien ! Quelle aventure ! Et, là, je crois que Max a compris...
Oui, j'ai aussi compris ce que c'est que de s'inquiéter pour quelqu'un... J'ai eu très peur pour papa !

Et toi...

Est-ce qu'il t'est arrivé la même histoire qu'à Max ?

Est-ce parce que tu aimes ce qui est dangereux, défendu, ce qui fait peur ? Est-ce pour savoir de quoi tu es capable ?

Est-ce pour prouver à tes parents que tu n'es pas nul ? pour que tes copains t'admirent ? Ça te donne confiance en toi ?

Tu ne te rends pas compte du danger ? Tu n'écoutes pas quan on te dit de faire attention ? Tu n'as pas peur de te faire mal

Es-tu plus casse-cou tout seul ou à plusieurs ? Fais-tu prendre des risques aux autres ? As-tu déjà été puni ?

Tu t'es déjà coupé ? blessé ? brûlé ? cassé le bras ? presque noyé ou à moitié étouffé... en étant imprudent ?

Est-ce que tes parents te laissent tout faire ou rien faire ? Tu aimerais qu'ils s'intéressent plus... ou moins à toi ?

As-tu peur de te faire mal ? Tu ne te sens pas assez costaud ? Tu as un trop mauvais souvenir ? Tu as peur d'être puni ?

Tu suis les conseils de prudence ? Tu vérifies souvent ton matériel : lumière, freins... Tu portes un casque ?

C'est parce que tu ne veux pas inquiéter tes parents ? Ont-ils toujours peur pour toi ? Tu trouves ça normal ?

Sais-tu dire « non » si ça te paraît dangereux pour toi ou pour les autres ? T'a-t-on déjà traité de « dégonflé » ?

Tu admires ceux qui prennent des risques ? Tu n'oses pas le faire ? Ça t'empêche d'avoir les copains que tu voudrais ?

u trouves idiot de ne pas prévoir le danger ? Tu penses qu'on eut s'amuser, faire des expériences sans prendre de risques ?

PETITS CONSEILS DE PRUDENCE DE MAX ET LILI

À LA MAISON

- Ne mets jamais tes doigts dans une porte.
- Sers-toi d'un outil devant un adulte avant de t'en servir tout seul.
- Ne mets pas dans ta bouche ce qui ne se mange pas : piles, épingles, bouchons, médicaments, etc.
- Ne passe pas trop près des casseroles bouillantes.
- Sers-toi d'un couteau toujours la lame vers le bas.
- Ne monte pas dans une armoire ou sur une étagère.
- Attention aux produits d'entretien : certains acides sont très dangereux.
- Souviens-toi du numéro des pompiers en cas d'urgence : le 18, en France ; le 100 en Belgique ; le 118 en Suisse.

À L'EXTÉRIEUR

- Ne sors pas dans la rue comme une fusée, sans regarder !
- Ne traverse jamais sans regarder à gauche et à droite.
- Attention aux sorties de garage : une voiture peut surgir !
- Ne passe pas derrière une voiture qui recule.
- La nuit, porte des couleurs réfléchissantes et une lumière.
- Même à vélo, le code de la route est important : apprends-le ! Et porte un casque pour te protéger.
- Ne caresse pas n'importe quel chien : il peut avoir peur et te mordre.
- Ne vise pas le visage, et ne lance pas d'objets pointus.
- Ne mets jamais d'essence sur un feu, ou sur des braises.
- Si tu es préoccupé ou de mauvaise humeur, sois encore plus prudent !